Pe. JOSÉ A. B. DE MACEDO

CATECISMO DA DIVINA MISERICÓRDIA

DIRETOR EDITORIAL:
Pe. Marcelo C. Araújo, C.Ss.R.

EDITORES:
Avelino Grassi
Pe. Márcio F. dos Anjos, C.Ss.R.

COORDENAÇÃO EDITORIAL:
Ana Lúcia de Castro Leite

COPIDESQUE:
Eliana M. Barreto Ferreira

REVISÃO:
Luana Galvão

DIAGRAMAÇÃO:
Bruno Olivoto

CAPA:
Marco Antônio dos Santos Reis

Dados Internacionais de Catalogação na Publicação (CIP)
(Câmara Brasileira do Livro, SP, Brasil)

Macedo, José A. Barreto de
Catecismo da Divina Misericórdia / José A. Barreto de Macedo. – Aparecida, SP: Editora Santuário, 2014.

ISBN 978-85-369-0186-2

1. Deus – Misericórdia 2. Misericórdia 3. Perguntas e respostas I. Título.

10.00255 CDD-231.8

Índices para catálogo sistemático:
1. Deus: Misericórdia: Doutrina cristã 231.8
2. Misericórdia de Deus: Doutrina cristã: 231.8

4ª impressão

Composição, CTcP, impressão e acabamento:
EDITORA SANTUÁRIO - Rua Padre Claro Monteiro, 342
12570-000 - Aparecida-SP - Fone: (12) 3104-2000

SUMÁRIO

Apresentação 5
Prefácio 7

Deus é Misericórdia 9
Jesus Cristo misericordioso 12
A Igreja e a misericórdia 13
Revelação da Misericórdia de Deus 18
Palavras de Cristo 21
A Misericórdia no Antigo Testamento 25
A Misericórdia no Novo Testamento 31
A Misericórdia e a Redenção 38
Maria Santíssima e a Misericórdia 49
Misericórdia de geração em geração 54
A Misericórdia de Deus na missão da Igreja 62
A Igreja procura pôr em prática a Misericórdia 66
A Igreja faz apelo à Misericórdia Divina 78
Santa Faustina, a Santa da Misericórdia 82
A imagem da Divina Misericórdia 91
O Terço da Misericórdia 94
A Festa da Divina Misericórdia 98
A Hora da Divina Misericórdia 101

APRESENTAÇÃO

Prezado irmão e irmã,

Você está abrindo o "CATECISMO DA DIVINA MISERICÓRDIA", escrito pelo Padre José Antero Barreto de Macedo, C.Ss.R., da Paróquia de Nossa Senhora da Glória, de Juiz de Fora.

Começa com a questão: "O que é Misericórdia?".

Vai fazendo questionamentos sobre como a Misericórdia se revela no Antigo e no Novo Testamento, seus vínculos com a Igreja, com os sacramentos, com a Justiça Divina.

Contém perguntas interessantes sobre Maria, Mãe de Misericórdia; sobre Santa Faustina, a Santa da Misericórdia, e sua missão, extremamente importante no contexto sociocultural de nosso tempo.

Finalmente, aborda aspectos práticos dessa devoção:

– A Imagem da Divina Misericórdia;
– O Terço da Misericórdia;
– A Festa da Divina Misericórdia;
– A Hora da Divina Misericórdia.

Espero que a leitura destas páginas sirva-nos de incentivo para uma fervorosa e esclarecida devoção à Divina Misericórdia e aumente nossa fé ao rezarmos:

"Jesus, eu confio em vós!"

Irmã Maria Amélia Ferreira Ribeiro, F.C.

PREFÁCIO

Caro leitor, ao escrever estas páginas baseei-me no Catecismo da Igreja Católica, na Encíclica *Dives in Misericordia* (Rico em Misericórdia), do Papa São João Paulo II, e no Diário de Santa Faustina.

O assunto Misericórdia é muito importante, sempre foi e é mais ainda em nossos tempos. Por isso, para facilitar a compreensão, escrevi usando o método de perguntas e respostas. São 168 perguntas e respostas sobre a Misericórdia de Deus.

Cito aqui as palavras do Papa São João Paulo II:

> Desde o início de meu ministério na Sé de Pedro em Roma, eu considero esta mensagem (da Misericórdia) como minha tarefa especial. A Providência a confiou a mim na presente situação do homem, da Igreja e do mundo.

O Papa São João Paulo II deu todo o seu apoio às mensagens de Santa Faustina. Instituiu o “Dia da Misericórdia” como festa litúrgica obrigatória para toda a Igreja Universal.

É, pois, um tema de grande importância em nossos dias e até, para alguns, um tema que causa certa estranheza, preocupados como estão com a justiça, como se houvesse contradição entre ambas as virtudes.

Nossos tempos foram agraciados com a riquíssima contribuição de Santa Faustina, que não trouxe novidades, porque o Evangelho já nos dá tudo do que precisamos, mas mensagens ditadas por Jesus Misericordioso, que vem atualizar e nos ajudar nos problemas próprios de nosso tempo.

Que a Misericórdia de Deus nos proteja sempre, e contemplemos cada vez mais quão grandes são a infinita bondade e a Misericórdia.

O autor

DEUS É MISERICÓRDIA

1) O que é Misericórdia?

Misericórdia é o sentimento de dor e solidariedade com alguém que sofre uma tragédia pessoal ou que caiu em desgraça, acompanhado do desejo de ajudar ou de salvar esta pessoa; dó, compaixão, piedade, perdão, indulgência, graça, clemência, caridade.

2) Deus é Misericordioso?

Toda a Bíblia, do começo ao fim, mostra que Deus é um Deus de Misericórdia. "Deus compassivo, lento para a cólera e rico em bondade e fidelidade, que conserva a Misericórdia por mil gerações, que perdoa a iniquidade, transgressão e pecado" (Êx 34,7).

3) Como Deus age após o pecado de nossos primeiros pais Adão e Eva?

Deus, com infinita Misericórdia, não destrói o homem, mas promete um Salvador que será o Messias prometido, Jesus Cristo.

4) Como agiu Javé diante das infidelidades do povo eleito no Antigo Testamento?

Javé sempre enviou profetas, para mostrar ao povo seus pecados e desvios, e sempre usou de Misericórdia para com eles, não os destruindo, mas perdoando-lhes e conservando a Aliança que tinha feito.

5) Qual o desígnio de Deus para o homem?

Deus infinitamente perfeito e misericordioso criou o homem livre para fazê-lo participar de sua vida bem-aventurada. Enviou-lhe seu Filho como Salvador dos homens caídos no pecado, para salvá-los por sua Misericórdia infinita.

6) De que modo Deus revela que é Misericórdia?

Deus se revela a Israel como aquele que tem um Amor-Misericórdia mais forte do que o de um pai ou uma mãe por seus filhos, ou o de um esposo por sua esposa. Ele em si mesmo é Amor, que tanto amou o mundo que deu seu Filho único para que todo o que nele crê seja salvo por ele.

7) Em que consiste a Misericórdia de Deus?

Consiste nas disposições com que Deus conduz as suas criaturas para a perfeição última, para a qual ele as chamou. Deus é o autor soberano de seu desígnio. Ao mesmo tempo, dá às criaturas a dignidade de agirem elas mesmas, de serem causa umas das outras.

8) Se Deus é Misericórdia, por que existe o mal?

A essa interrogação tão dolorosa quanto misteriosa pode dar resposta somente o conjunto da fé cristã. Deus não é de modo algum, nem direta nem indiretamente, a causa do mal. Ele supera o mal em seu Filho Jesus Cristo, que morreu e ressuscitou para vencer aquele grande mal moral, que é o pecado dos homens e que é a raiz dos outros males.

9) Sendo Deus tão misericordioso, por que ele permite o mal?

A fé nos ensina que Deus não permitiria o mal se do mesmo mal não tirasse o bem. Deus já realizou isso de modo admirável por ocasião da morte e ressurreição de Cristo: com efeito, do maior mal moral, a morte de seu Filho, ele auferiu os maiores bens, a glorificação de Cristo e nossa redenção.

JESUS CRISTO MISERICORDIOSO

10) Por que o Filho de Deus se fez homem?

O Filho de Deus se encarnou no seio da Virgem Maria, por obra do Espírito Santo, por nós homens e para nossa salvação, ou seja, por Misericórdia para reconciliar nós pecadores com Deus; para fazer-nos conhecer seu amor infinito; para ser nosso modelo de santidade; para nos fazer "participantes da natureza divina".

11) Qual o auge da Misericórdia de Deus em relação à humanidade?

O auge da Misericórdia de Deus é que seu Filho tornou-se verdadeiro Deus e verdadeiro homem, com duas naturezas, a divina e a humana, mas unidas na Pessoa do Verbo de Deus. Portanto, na humanidade de Jesus Cristo, tudo, milagres, sofrimentos, morte, deve ser atribuído à sua pessoa divina, que age por meio da natureza humana assumida.

12) O que representa o coração Misericordioso de Jesus?

Jesus nos conheceu e amou com um coração humano. Seu coração, transpassado para nossa salvação, é o símbolo daquele infinito amor com o qual ele ama o Pai e a cada um dos homens.

A IGREJA E A MISERICÓRDIA

13) O que o Papa São João Paulo II disse sobre tal mistério?

É meu desejo que estas considerações sirvam para aproximar todos de tal mistério (de Misericórdia) e se tornem um vibrante apelo da Igreja à Misericórdia, de que o homem e o mundo moderno tanto precisam. E precisam dessa Misericórdia, mesmo sem muitas vezes o saberem.

14) Por que a Igreja tem o poder Misericordioso de perdoar os pecados?

A Igreja tem a missão e o poder Misericordioso de perdoar os pecados, porque o próprio Cristo lhe conferiu: "Recebei o Espírito Santo. Àqueles a quem perdoardes os pecados serão perdoados; àqueles a quem os retiverdes ficarão retidos".

15) Como se concilia a existência do inferno com a infinita Misericórdia de Deus?

Deus, embora desejando "que todos venham a converter-se, todavia, tendo criado o homem livre e responsável, respeita as decisões dele". Portanto, é o próprio homem que, em plena autonomia, se exclui voluntariamente da comunhão com Deus se até o momento da própria morte persiste no pecado mortal, recusando o amor misericordioso de Deus.

16) Qual o vínculo entre Misericórdia e Eucaristia?

Eucaristia é o próprio sacrifício do Corpo e do Sangue do Senhor Jesus, que ele instituiu para perpetuar pelos séculos, até seu retorno, o sacrifício da cruz, confiando assim à sua Igreja o memorial de sua Morte e Ressurreição. É o sinal da unidade, o vínculo da caridade, o banquete pascal, no qual se recebe Cristo, a alma é coberta de Graça e é dado o penhor da vida eterna.

17) Quando foi instituído o Sacramento da Misericórdia ou da Confissão?

O Senhor ressuscitado instituiu esse sacramento quando, na noite de Páscoa, apareceu a seus apóstolos e lhes disse: "Recebei o Espírito Santo. Àqueles a quem perdoardes os pecados serão perdoados; àqueles a quem os retiverdes ficarão retidos".

18) Quais são os elementos do Sacramento da Reconciliação?

São dois: os atos realizados pelo homem que se converte sob a ação do Espírito Santo e a absolvição do sacerdote, que em nome de Cristo concede o perdão e estabelece a modalidade da satisfação.

19) O que comporta em nós o acolhimento da Misericórdia de Deus?

Comporta que reconheçamos as nossas culpas, arrependendo-nos de nossos pecados. O próprio Deus, com a Palavra e o Espírito Santo, desvela os nossos pecados e dá-nos a verdade da consciência e a esperança do perdão.

20) Quais são as obras de Misericórdia corporal?

– Dar de comer aos famintos.
– Dar de beber aos sedentos.
– Vestir os nus.
– Acolher os peregrinos.
– Visitar os enfermos.
– Visitar os encarcerados.
– Sepultar os mortos.

21) Quais são as obras de Misericórdia espiritual?

– Aconselhar os duvidosos.
– Ensinar os ignorantes.
– Admoestar os pecadores.

– Consolar os aflitos.
– Perdoar as ofensas.
– Suportar pacientemente as pessoas incômodas.
– Rezar a Deus pelos vivos e pelos mortos.

22) Como se mostra a Misericórdia de Deus?

Deus, que é rico em Misericórdia, movido pela imensa caridade com que nos amou, restituiu-nos a vida junto com Cristo, quando ainda estávamos mortos pelos pecados.

23) Como se revela a vocação do homem?

O homem e sua vocação suprema desvendam-se em Cristo, mediante a revelação do mistério do Pai e de seu amor.

24) Como a abertura do homem para Cristo pode realizar-se?

A abertura para Cristo, que, como redentor do mundo, revela plenamente o homem ao próprio homem, não pode realizar-se de outro modo senão mediante uma referência cada vez mais amadurecida ao Pai e a seu amor-Misericórdia.

REVELAÇÃO DA MISERICÓRDIA DE DEUS

25) Como percebemos a "revelação" da Misericórdia de Deus?

Essa revelação manifesta Deus no insondável mistério de seu ser, uno e trino, rodeado de luz inacessível. Contudo, mediante essa "revelação" de Cristo, conhecemos Deus, antes de mais nada, em sua relação de amor para com o homem; em sua benignidade. É precisamente aqui que "as suas perfeições invisíveis se tornam de maneira particular "reconhecíveis", incomparavelmente mais reconhecíveis do que por meio de todas as outras obras por Ele realizadas: tornam-se visíveis em Cristo e por meio de Cristo, por intermédio das suas ações e palavras e, por fim, mediante sua morte na cruz e sua ressurreição.

26) De que modo?

É desse modo que, em Cristo e mediante Cristo, Deus com sua Misericórdia torna-se também particularmente visível, isto é, põe-

-se em evidência aquele atributo da divindade, que já o Antigo Testamento, servindo-se de diversos conceitos e termos, tinha definido Misericórdia. Cristo atribui a toda a tradição do Antigo Testamento quanto à Misericórdia Divina um significado definitivo. Ele próprio encarna e personifica a Misericórdia. Deus tornou-se nele "visível" como Pai rico em Misericórdia.

27) O que o homem moderno pensa sobre a Misericórdia?

A mentalidade moderna talvez mais do que a do homem do passado parece opor-se ao Deus da Misericórdia e, além disso, tende a separar da vida e a tirar do coração humano a própria ideia de Misericórdia.

28) Por que isso acontece?

A palavra e o conceito de Misericórdia parecem causar mal-estar no homem, o qual, graças ao enorme desenvolvimento da ciência e da técnica, nunca antes verificado na história, tornou-se senhor da terra e a dominou. Isso parece não deixar espaço para a Misericórdia.

29) O que acontece na realidade?

O mundo atual apresenta-se ao mesmo tempo poderoso e débil, capaz do melhor e do pior, abre-se em sua frente o caminho da liberdade ou escravidão, do progresso ou regressão, da fraternidade ou do ódio. E o homem toma consciência das forças que suscitou, as quais tanto o podem esmagar como servir.

30) Como tem agido a Igreja diante disso?

A Igreja denuncia, sem cessar, tais ameaças (em diversas circunstâncias, por exemplo com as intervenções na ONU, na UNESCO, na FAO) e deve ao mesmo tempo examiná-las à luz da verdade recebida de Deus.

31) Como age o homem diante da revelação da Misericórdia de Deus?

O homem sobretudo quando sofre, quando é ameaçado no próprio núcleo de sua existência volta-se para a Misericórdia de Deus; ele é impelido a fazê-lo certamente pelo próprio Cristo, mediante seu Espírito

Santo, que continua operando no íntimo dos corações humanos.

Com efeito, revelado pelo mesmo Cristo, o mistério de Deus, "Pai das Misericórdias", torna-se, no contexto das ameaças modernas, um singular apelo que se dirige à Igreja.

PALAVRAS DE CRISTO

32) O que disse Cristo sobre nossas necessidades?

Cristo disse que aquele que vê o que é secreto está continuamente à espera, por assim dizer, de que, apelando para Ele em todas as necessidades, meditemos cada vez mais seu mistério: o mistério do Pai e de seu Amor-Misericórdia.

33) Quais são as primeiras palavras messiânicas de Jesus?

Segundo S. Lucas, as primeiras palavras de Jesus são: "O Espírito do Senhor está sobre mim, porque ele me conferiu a unção e me enviou para anunciar a Boa-Nova aos pobres, para proclamar a libertação aos cativos, para dar o dom da vista aos cegos, para pôr em liberdade os oprimidos e a promulgar um ano de Graça da parte do Senhor".

34) Qual o significado disso?

É muito significativo que estes homens sejam sobretudo os pobres, carentes dos meios de subsistência, aqueles que estão privados da liberdade, os cegos, que não veem a beleza da criação, aqueles que vivem com a amargura no coração, ou então que sofrem por causa da injustiça social e, por fim, os pecadores. Estes últimos tornam-se um sinal legível de Deus que é Amor-Misericórdia.

35) Que diz Jesus aos discípulos de João Batista, quando estes vêm perguntar sobre o Messias?

"Ide contar a João o que vistes e ouvistes: os cegos recuperam a vista, os coxos andam, os leprosos ficam limpos, os surdos ouvem, os mortos ressuscitam, aos pobres é anunciada a Boa-Nova."

36) Como Jesus revela o Amor de Deus?

Jesus revela, sobretudo, com seu estilo de vida e com suas ações, como está presente o amor no mundo em que vivemos, o amor que se dirige ao homem e abraça tudo aquilo que forma sua humanidade. Tal amor torna-se notório especialmente no contato com o sofrimento, a injustiça, a pobreza, os modos de vida que manifestam as limitações e as fragilidades tanto físicas como morais do homem. Isso é Misericórdia.

37) Como Cristo revela que Deus é Pai?

Cristo revela que Deus é Pai mais do que ensinando, tornando presente o Pai como amor e Misericórdia, ponto fundamental de sua missão de Messias, como confirmam suas palavras na sinagoga de Nazaré e depois diante dos discípulos enviados por João Batista.

38) Qual um dos principais temas da pregação de Jesus?

Jesus faz da Misericórdia um dos principais temas de sua pregação. Ensina com parábolas, basta lembrar a parábola do Filho Pródigo, do Bom Samaritano ou ainda a do servo sem compaixão. O Bom Pastor que vai à procura da ovelha perdida, a mulher que varre a casa à procura da moeda perdida.

39) O que Jesus exige dos seus discípulos?

Exige dos homens que se deixem guiar na própria vida pelo amor e pela Misericórdia. Essa exigência faz parte da essência da mensagem messiânica e constitui a medula da moral evangélica. Bem-aventurados os misericordiosos, porque alcançarão Misericórdia.

40) Como Jesus revela o Pai, que é rico em Misericórdia?

Cristo, enquanto é o cumprimento das profecias, ao tornar-se encarnação do amor que se manifesta com particular intensidade em relação aos que sofrem, aos infelizes e aos pecadores, torna-se presente e, desse modo, revela mais plenamente o Pai que é Deus "rico em Misericórdia". Cristo proclama com as obras, mais ainda do que com palavras, aquele apelo à Misericórdia, que é um dos componentes essenciais do evangelho.

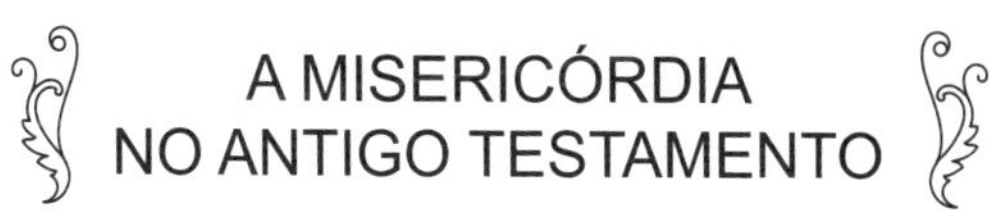

A MISERICÓRDIA NO ANTIGO TESTAMENTO

41) Como era o conceito de Misericórdia no Antigo Testamento?

Israel foi o povo da Aliança com Deus, aliança que muitas vezes violou. Quando tomava consciência da própria infidelidade, apelava para a Misericórdia.

42) Que dizem os profetas?

É significativo o fato de os profetas na pregação apresentarem a Misericórdia – à qual, muitas vezes, se referem por causa dos pecados do povo – em ligação com a incisiva imagem do amor da parte de Deus. Na pregação dos profetas, a Misericórdia significa uma especial potência do amor, que prevalece sobre o pecado e sobre a infidelidade do povo eleito.

43) Como aparece nesse contexto a Misericórdia?

Nesse amplo contexto "social", a Misericórdia aparece como o elemento correlativo da experiência interior de cada uma das pessoas que se encontram em estado de culpa ou que suportam sofrimentos e desgraças de todas as espécies. Tanto o mal físico quanto o mal moral ou pecado fazem com que os filhos de Israel se voltem para o Senhor, apelando para sua Misericórdia. Desse modo a Ele se dirige Davi consciente da gravidade da própria culpa, igualmente a ele se dirige Jó depois das suas rebeliões, ao encontrar-se em sua tremenda desventura; assim se dirige ao Senhor também Ester, cônscia da ameaça mortal, iminente contra o próprio povo, e outros exemplos mais.

44) Como é a origem da confiança do povo na Misericórdia de Deus?

Na origem desta convicção comunitária e pessoal há que se colocar a experiência fundamental do povo eleito vivida nos dias do êxodo: o Senhor observou a aflição de seu povo reduzido à escravidão, ouviu os seus clamores, deu-se conta dos seus sofrimentos e decidiu libertá-lo. Nesse ato de salvação realizado pelo Senhor, o profeta quis individuar seu amor e compaixão. É aqui que se radica a segurança de todo o povo e de cada um na Misericórdia divina, que pode ser invocada em todas as circunstâncias dramáticas.

45) Quando o povo desobedece a Deus, fazendo do bezerro de ouro um ídolo, como Deus se revela a eles?

Javé triunfa sobre esse gesto de ruptura da Aliança quando se define solenemente a Moisés como Deus compassivo e misericordioso, lento para a cólera e cheio de bondade e de fidelidade.

46) Que sentido tem isso para o Povo de Israel?

É nessa revelação central que o povo eleito e cada um dos seus componentes irão encontrar, depois de terem prevaricado, a força e a razão para de novo se voltarem ao Senhor, para lhe recordarem exatamente aquilo que ele tinha revelado acerca de si próprio e para lhe implorarem seu perdão.

47) Como age o povo eleito em sua história?

Assim, o Senhor revelou sua Misericórdia nas obras como nas palavras, desde os primórdios do povo que escolheu para si; e no decurso da história esse povo, quer em momentos de desgraça, quer ao tomar consciência do próprio pecado, continuamente se entregou com confiança ao Deus das Misericórdias. Na Misericórdia do Senhor para com os seus manifestam-se todos os matizes do amor: Ele é para eles Pai, dado que Israel é seu Filho Primogênito, Ele é também o esposo daquela a quem o Profeta anuncia um nome novo: "bem-amada", porque será usada Misericórdia para com ela.

48) Como age o Senhor quando indignado com o povo?

Mesmo quando o Senhor, exasperado pela infidelidade de seu povo, decide acabar com ele, são ainda a compaixão e o amor generoso para com os seus que o levam a superar sua indignação. E, então, torna-se fácil compreender a razão pela qual os salmistas, ao cantarem ao Senhor os mais sublimes louvores, entoarão hinos ao Deus do amor, da compaixão, da Misericórdia e da fidelidade.

49) Como a Misericórdia age na vida do povo de Israel?

De tudo isso se deduz que a Misericórdia faz parte não só do conceito de Deus, mas é algo que caracteriza a vida do povo de Israel. É o conteúdo de seu diálogo com Ele. Exatamente nesse aspecto a Misericórdia é apresentada em cada um dos livros do Antigo Testamento com uma grande riqueza de expressões.

50) Com que termos essa Misericórdia é proclamada?

O Antigo Testamento proclama a Misericórdia do Senhor mediante numerosos termos com significados afins. O Antigo Testamento encoraja os homens desventurados, sobretudo os que estão oprimidos pelo pecado, a fazerem apelo à Misericórdia e permite-lhes contar com ela. Em seguida, dá graças e glória a Deus pela Misericórdia todas as vezes que ela se tenha realizado na vida não só do povo como individualmente.

51) E a justiça divina?

A Misericórdia é contraposta, em certo sentido, à justiça divina e revela-se em muitos casos, não só mais potente, mas também mais profunda do que ela. Já no Antigo Testamento se ensina que, embora a justiça no homem seja autêntica virtude e em Deus signifique a perfeição transcendente, contudo, o amor é "maior" do que a mesma justiça. Em última análise, a justiça serve à caridade. Isso pareceu tão claro aos salmistas e aos Profetas que o próprio termo justiça acabou por significar a salvação realizada pelo Senhor e sua Misericórdia.

52) A Misericórdia difere da justiça?

A Misericórdia difere da justiça, mas não contrasta com ela se admitirmos na história do homem, como faz o Antigo Testamento, a presença de Deus, o qual já como Criador se ligou com particular amor à sua criatura. Já no contexto da Antiga Aliança está prenunciada a plena revelação de Deus, que "é amor".

53) Qual o sentimento de Javé para com seu povo eleito?

"Amo-te com amor eterno, por isso ainda te conservo os meus favores." "Ainda que os montes sejam abalados, o meu amor jamais se afastará de ti e a minha aliança de paz não se mudará." Essa verdade, anunciada outrora a Israel, encerra em si a perspectiva de toda a história do homem, perspectiva que é temporal e espiritual.

A MISERICÓRDIA NO NOVO TESTAMENTO

54) No Novo Testamento, qual a primeira voz a louvar a Misericórdia divina?

É a de Maria entrando na casa de Zacarias, que engrandece louvando o Senhor com toda a sua alma "por sua Misericórdia", da qual se tornam participantes "de geração em geração" os homens que vivem no temor de Deus.

55) No ensino de Jesus, como esta imagem (de misericórdia) se torna?

Torna-se mais simples e muito mais profunda. Isso aparece com maior evidência na parábola do filho pródigo, na qual a essência da Misericórdia divina se acha expressa de um modo particularmente límpido. Esse filho, que recebe do Pai a herança que lhe toca e deixa a casa paterna para ir esbanjá-la numa terra longínqua, "vivendo dissolutamente", em certo sentido é o homem de todos os tempos, a começar por aquele que foi o primeiro a perder a herança da graça e da justiça original. A parábola se refere a todo pecado.

56) Qual a analogia da parábola com o homem?

A analogia desloca-se para o interior do homem. A herança era constituída por certa quantidade de bens materiais; entretanto mais importante do que esses bens era sua dignidade de filho na casa paterna.

57) O filho pródigo parece que sente apenas a perda dos bens materiais?

Parece que sim, quando diz: "quantos empregados na casa de meu pai têm pão em abundância, e eu aqui morro de fome". Essas palavras exprimem sobretudo sua atitude perante os bens materiais. No entanto, por detrás das aparências dessas palavras, esconde-se também o drama da dignidade perdida, a consciência da condição de filho perdida. É então que ele toma a decisão: "Levantar-me-ei, irei ter com o meu pai e dizer-te: Pai, pequei contra o Céu e contra ti; já não sou digno de ser chamado de teu filho; trata-me como a um dos teus empregados". Essas palavras permitem descobrir mais profundamente o problema essencial. Por meio da situação material de penúria a que o filho pródigo chegou, por causa da leviandade, por causa do pecado, tinha amadurecido nele o sentido da dignidade perdida. À primeira vista, parece agir por motivo da fome e da miséria em que caíra. Subjacente a esse motivo, porém, está a consciência mais profunda: ser um assalariado na casa do próprio pai é com certeza uma grande humilhação e vergonha.

58) O que, no entanto, o filho pródigo resolve fazer?

Apesar disso, o filho pródigo está disposto a enfrentar tal humilhação. Deu-se conta de que já não tinha mais direito algum, senão o de ser empregado na casa do pai. E toma essa decisão com plena consciência daquilo que mereceu e daquilo a que ainda pode ter direito, segundo as normas da justiça. Isso mostra que emerge no filho pródigo o sentido da dignidade perdida, dignidade que brota da relação do filho com o pai. Foi com essa decisão que ele se pôs a caminho para voltar.

59) O que fica claro quanto à Misericórdia nessa parábola?

Torna-se mais claro que o amor se transforma em Misericórdia quando é preciso ir além da norma exata da justiça; norma precisa e, muitas vezes, demasiadamente estrita.

60) Como seria a pura aplicação da justiça?

O filho pródigo, depois de ter gastado os bens recebidos do pai, ao regressar, merecia apenas ganhar para viver, trabalhando na casa do pai como um empregado, e, aos poucos, ir obtendo certa quantidade de bens materiais, mas sem dúvida nunca em quantidade igual aos que tinha esbanjado. Além disso, o filho com seu modo de agir não tinha somente dissipado a parte da herança que lhe cabia, mas tinha também magoado profundamente o pai.

61) O filho pródigo tem consciência disso?

Sim, o filho pródigo sabe disso, e é precisamente esta consciência que lhe mostra claramente a dignidade perdida e o leva a avaliar corretamente o lugar que ainda lhe podia tocar na casa do pai.

62) Como a parábola nos ajuda a compreender a Misericórdia divina?

O estado de espírito do filho pródigo permite-nos compreender em que consiste a Misericórdia divina. A figura paterna nos revela Deus como Pai. O comportamento do pai na parábola permite-nos compreender a visão da Misericórdia no Antigo Testamento, numa síntese totalmente nova, cheia de simplicidade e profundidade. O pai do filho pródigo é fiel à sua paternidade, fiel àquele amor que desde sempre concedeu ao filho. Tal fidelidade exprime-se não apenas na prontidão em acolhê-lo em casa, mas exprime-se ainda mais na alegria e no clima de festa para com o esbanjador, que volta e até provoca inveja no irmão mais velho.

63) Como se exprime a fidelidade do pai a si próprio?

Exprime-se particularmente pelo afeto. Com efeito, ao ver o filho pródigo regressar a casa, "movido de compaixão, correu a seu encontro, abraçou-o efusivamente e beijou-o". Ele procede desse modo levado por um profundo afeto e assim se explica também a generosidade para com o filho. O pai sabe que o que se salvou foi um bem mais fundamental: o bem da humanidade de seu filho. Embora tenha esbanjado a herança, a verdade é que (a vida) a humanidade está salva. E, mais ainda, esta de algum modo foi reencontrada. É o que dizem as palavras que o pai dirigiu ao filho mais velho: "Era preciso que fizéssemos festa e nos alegrássemos, porque este teu irmão estava morto e voltou à vida, estava perdido e foi encontrado". A fidelidade do pai a si próprio está centralizada na humanidade (vida) do filho perdido, em sua dignidade. Por isso, sobretudo, explicam-se a comoção e a alegria, que manifesta, quando o filho volta para casa.

64) De onde brota o amor para com o filho pródigo?

O amor para com o filho pródigo brota da paternidade, que "força", digamos assim, o pai a ter solicitude pela dignidade do filho. Essa solicitude constitui a medida de seu amor. A Misericórdia apresentada por Cristo na parábola do filho pródigo tem a força do amor, que no Novo Testamento é chamado ágape.

65) Como se manifesta este Amor-Misericórdia?

Ele é capaz de debruçar-se sobre todos os filhos pródigos, sobre qualquer miséria humana e, especialmente, sobre toda a miséria moral, sobre todo o pecado.

66) Aquele que é objeto da Misericórdia se sente humilhado?

Aquele que é objeto de Misericórdia não se sente humilhado, mas como que reencontrado e revalorizado. O pai mostra-lhe alegria, antes de mais nada, por ele ter sido reencontrado e por ter "voltado à vida". Essa alegria indica um bem que não foi atingido: um filho, embora pródigo, não deixa de ser filho de seu pai; indica um bem reencontrado. No caso do filho pródigo, o regresso à verdade sobre si próprio.

67) Poderia alguém deduzir que a Misericórdia difama aquele que a recebe e ofende a dignidade do homem?

A parábola do filho pródigo mostra que a realidade é diferente: a relação de Misericórdia baseia-se na experiência comum daquele bem que é o homem, na experiência comum da dignidade que lhe é própria. Esta experiência faz com que o filho pródigo comece a ver-se a si próprio e às ações com toda a verdade, por outro lado para o pai, precisamente por isso, ele torna-se um bem particular. Graças a uma misteriosa irradiação da verdade e do amor, o pai vê com tal limpidez o bem que se realizou que parece esquecer todo o mal que o filho tinha cometido. A parábola do filho pródigo exprime a realidade da conversão.

68) Como se manifesta a Misericórdia nessa parábola?

A Misericórdia manifesta-se, principalmente, quando reavalia, promove e sabe tirar o bem de todas as formas de mal existentes no mundo e no homem.

69) Como se deve entender a Misericórdia?

Ela constitui o conteúdo fundamental da mensagem messiânica de Cristo e a força constitutiva de sua missão. A Misericórdia nunca cessou de manifestar nos corações dos seguidores de Cristo uma comprovação particularmente criadora do amor, que não se deixa "vencer pelo mal", mas vence "o mal com o bem". É preciso que o rosto genuíno da Misericórdia seja sempre descoberto de maneira nova. Apesar dos preconceitos, a Misericórdia apresenta-se como algo particularmente necessário nos nossos tempos.

70) Onde encontramos o máximo da Misericórdia divina?

Na Cruz e Ressurreição de Cristo. O "Mistério Pascal" exprime totalmente a verdade sobre a Misericórdia. A Redenção revela a grandeza inaudita do homem que "mereceu tão grande Redentor". Revela-se também a grandeza daquele amor que não retrocede diante do extraordinário sacrifício do Filho, para satisfazer à fidelidade do Criador e Pai para com os homens, criados à sua imagem e escolhidos para a Graça e a Glória.

71) Aquele (Cristo) que usa de tanta Misericórdia para com os homens, por acaso recebe deles alguma Misericórdia?

Aquele que "passa fazendo o bem, curando a todos" e "sanando toda espécie de doenças e enfermidades" mostra-se Ele próprio, agora, (na Paixão), digno da maior Misericórdia, quando é preso, ultrajado, condenado, flagelado, coroado de espinhos, quando é pregado na Cruz e morre no meio de tormentos atrozes. É então que ele se apresenta digno de Misericórdia dos homens a quem fez o bem; e não a recebe. Até aqueles que lhe são mais próximos não o sabem proteger e arrancá-lo das mãos dos seus opressores. Nesta fase final do desempenho da função messiânica, cumprem-se em Cristo as palavras de Isaías: "Fomos curados nas suas chagas".

72) Diante dos pecados da humanidade a justiça foi feita?

É precisamente esta Redenção a última e definitiva revelação da santidade de Deus, que é a plenitude da justiça e do Amor, pois a justiça funda-se no amor, dele promana e para ele tende. Na Paixão e Morte de Cristo, exprime-se a justiça absoluta, porque Cristo sofre a Paixão e Cruz por causa dos pecados da humanidade. Mas ainda, há na verdade uma "superabundância" de justiça, porque os pecados do homem são "compensados" pelo sacrifício do Homem-Deus. Contudo, essa justiça, que é propriamente justiça "à medida" de Deus, nasce toda ela do amor, do amor do Pai e do Filho, e frutifica inteiramente no amor.

73) Como se revela a dimensão da Redenção?

Não só no fato de ela (a Redenção) ter feito justiça do pecado, mas também no fato de ter restituído aquela força criativa, graças à qual ele (o homem) tem novamente acesso à plenitude de vida e santidade, que provém de Deus. Desse modo, a Redenção traz em si a revelação da Misericórdia em sua plenitude.

74) O que mais revela o mistério da Cruz?

A cruz erguida no Calvário, onde Cristo mantém seu último diálogo com o Pai, emerge do próprio núcleo daquele amor, em que o homem, criado à imagem de Deus, foi gratuitamente beneficiado, de acordo com o desígnio divino. Deus, tal como Cristo o revelou, não permanece apenas em estreita relação com o mundo, como Criador. Ele é também Pai; está unido ao homem por Ele chamado à existência no mundo visível, mediante um vínculo ainda mais profundo do que o da criação. É o amor que não só cria o bem, mas faz com que se participe da própria vida de Deus, Pai, Filho, Espírito Santo. Efetivamente, quem ama deseja dar-se a si próprio.

75) Como a Cruz se torna a Nova Aliança?

A Cruz de Cristo sobre o Calvário surge no caminho daquela comunicação que encerra o chamamento dirigido ao homem, para que participe da vida divina e, como filho adotivo, torne-se participante da verdade e do amor, que estão em Deus e provêm de Deus. A Cruz vem dar o último testemunho da admirável aliança de Deus com a humanidade. Essa Aliança tão antiga quanto o homem é igualmente nova e definitiva Aliança; ela ficou estabelecida ali, no Calvário, e não é limitada a um único povo, a Israel, mas aberta a todos e a cada um.

76) O que a Cruz de Cristo "fala" ao homem?

A Cruz não cessa de falar de Deus Pai, que é absolutamente fiel a seu eterno amor para com o homem, que "amou tanto o mundo, que deu seu filho unigênito, para que todo aquele que nele crer não pereça, mas tenha a vida eterna". Crer no Filho crucificado significa "ver o Pai", significa crer que o amor está presente no mundo e que esse amor é mais forte do que toda a espécie de mal em que o homem, a humanidade e o mundo estão envolvidos. Crer nesse amor significa acreditar na Misericórdia. "Esta é, de fato, a dimensão indispensável do amor; é como que seu segundo nome e, ao mesmo tempo, é o modo específico de sua revelação e atuação diante da realidade do mal que existe no mundo, que assedia e atinge o homem, que se insinua mesmo em seu coração e o pode fazer perecer, na Geena."

77) O que a Cruz nos diz nos momentos mais difíceis da vida humana?

A Cruz de Cristo, na qual o Filho consubstancial do Pai presta plena justiça a Deus, é também uma revelação radical da

Misericórdia, ou seja, do amor que se opõe àquilo que constitui a própria raiz do mal na história do homem: se opõe ao pecado e à morte. A Cruz é o modo mais profundo de a divindade se debruçar sobre a humanidade e sobre tudo aquilo que o homem, especialmente nos momentos dolorosos, considere seu destino infeliz.

A Cruz é como um toque do amor eterno nas feridas mais dolorosas da existência terrena do homem, é o cumprir-se cabalmente do programa messiânico que Cristo um dia tinha formulado na sinagoga de Nazaré e que repetiu depois diante dos enviados de João Batista.

78) O que diz a profecia de Isaías quanto ao Messias?

Que o programa do Messias consiste na revelação do amor misericordioso para com os pobres, os que sofrem, os prisioneiros, os cegos, os oprimidos e os pecadores. No mistério pascal são superadas as barreiras do mal de que o homem se torna participante durante sua vida.

A Cruz de Cristo faz-nos compreender as profundas raízes do mal que mergulha no pecado e na morte, e também ela se torna um sinal escatológico (das últimas coisas que vão nos acontecer). Será somente na realização final e renovação definitiva do mundo que o amor vencerá, em todos os eleitos, os germes mais profundos do mal, produzindo como fruto plenamente maduro o Reino da vida, da santidade e da imortalidade gloriosa. O fundamento desta realização escatológica já está contido na Cruz de Cristo e em sua morte. O fato de Cristo ter ressuscitado ao terceiro dia constitui o sinal que indica o remate da missão messiânica, sinal que coroa toda a revelação do amor misericordioso no mundo, submetido ao mal. Tal fato constitui ao mesmo tempo o sinal que prenuncia "um novo Céu e uma nova terra", quando Deus enxugará todas as lágrimas dos seus olhos; e não haverá mais morte, nem pranto, nem gemidos, nem dor, porque as coisas antigas terão passado.

Na realização escatológica, a Misericórdia se revelará como amor, enquanto que no tempo atual, na história humana, que é conjuntamente uma história de pecado e de morte, o amor deve revelar-se sobretudo com Misericórdia e ser atuado também como tal.

79) Onde está o centro do "programa messiânico" de Cristo?

No centro desse programa está sempre a Cruz, porque nela a revelação do amor misericordioso atinge seu ponto culminante.

Deus revela também de modo particular sua Misericórdia, quando solicita ao homem, por assim dizer, exercitar a "Misericórdia" para com seu próprio Filho, para com o Crucificado. Cristo, precisamente como Crucificado, é o Verbo que não passa, é o que está à porta e bate ao coração de cada homem, sem forçar sua liberdade, mas procurando fazer irromper desta mesma liberdade o amor; um amor que é, não apenas ato de solidariedade para com o Filho do homem que sofre, mas também, de certo modo, uma forma de "Misericórdia", manifestada por cada um de nós para com o Filho do Eterno Pai. Porventura, em todo esse programa messiânico de Cristo, em toda essa revelação da Misericórdia mediante a Cruz, poderia ser mais respeitada e elevada a dignidade do homem, dado que este, beneficiado da Misericórdia, é também, em certo sentido, aquele que ao mesmo tempo "exerce a Misericórdia"?

80) O que diz Jesus a esse respeito?

Em última análise, não é acaso essa a posição que toma Cristo em relação ao homem quando diz: "Sempre que fizestes isto a um destes meus irmãos foi a mim que o fizestes?". As palavras do Sermão da Montanha, "Bem-aventurados os misericordiosos, porque alcançarão Misericórdia", não constituem, em certo sentido, uma síntese de toda a Boa-Nova, de todo o "admirável intercâmbio" nela contido, que é uma lei simples, forte e ao mesmo tempo "suave" da própria doutrina da Salvação?

81) Como Cristo revela o mistério de Deus na Ressurreição?

O mistério pascal é Cristo no momento mais alto da revelação do mistério de Deus. De fato, Cristo a quem o Pai "não poupou" em favor do homem e que em sua Paixão não encontrou a Misericórdia do homem, na ressurreição revelou a plenitude daquele amor que o Pai nutre para com ele e, nele, para com todos os homens. Esse Pai "não é Deus de mortos, mas de vivos". Em sua ressurreição Cristo revelou o Deus do amor misericordioso, precisamente porque aceitou a Cruz como caminho para a ressurreição. É por isso que, quando lembramos a cruz de Cristo, sua Paixão e morte, nossa fé e nossa esperança centralizam-se nele, Ressuscitado: naquele mesmo Cristo que, "na tarde desse dia, se pôs no meio deles" no Cenáculo, soprou sobre eles e lhes disse: "Recebei o Espírito Santo. Aqueles a quem perdoardes os pecados, ser-lhes-ão perdoados e aqueles a quem os retiverdes ser-lhes-ão retidos".

82) Quando Cristo experimenta a Misericórdia do Pai plenamente?

Na ressurreição Cristo experimenta em si de modo radical a Misericórdia, isto é, o amor do Pai, que é mais forte do que a morte.

83) Qual, pois, a relação da Páscoa e a Misericórdia?

Cristo pascal é a encarnação definitiva da Misericórdia, seu sinal vivo histórico-salvífico e, ao mesmo tempo, escatológico. Nesse espírito, a Liturgia do tempo pascal põe em nossos lábios as palavras do Salmo: Cantarei perpetuamente as Misericórdias do Senhor.

MARIA SANTÍSSIMA E A MISERICÓRDIA

84) De que modo Maria é Mãe de Misericórdia universal?

Maria tem um único Filho, Jesus, mas nele a maternidade espiritual se estende a todos os homens que Ele veio salvar. Obediente ao lado de nosso Adão, Jesus Cristo, a Virgem é a nova Eva, a verdadeira mãe dos vivos que coopera com amor de mãe para o nascimento deles e para a formação deles na ordem da Graça. Virgem e Mãe, Maria é a figura da Igreja, a mais perfeita realização dela.

85) Em que sentido a bem-aventurada Virgem Maria é Mãe da Igreja (e de Misericórdia)?

A bem-aventurada Virgem Maria é Mãe da Igreja na ordem da Graça, porque deu à luz Jesus Cristo, o Filho de Deus, Cabeça do corpo, que é a Igreja. Jesus, moribundo na cruz, apontou-a como mãe do discípulo com estas palavras: “Eis a tua Mãe!”.

86) Que tipo de culto se dirige à santa Virgem?

É um culto singular, mas difere essencialmente do culto de Adoração prestado somente à Santíssima Trindade. Esse culto de especial veneração encontra particular expressão nas festas litúrgicas, dedicadas à Mãe de Deus, e na oração mariana, como o santo Rosário, resumo de todo o evangelho.

87) Como Maria louva a Misericórdia de Deus?

Maria prenuncia durante a visita que faz a Isabel: "Sua Misericórdia estende-se de geração em geração". Tais palavras abrem uma nova perspectiva da história da Salvação. Após a ressurreição de Cristo, essa perspectiva nova passa para o plano histórico e reveste-se de sentido escatológico novo. Desde então, sucedem-se novas gerações de homens na imensa família humana, em dimensões sempre crescentes; sucedem-se também novas gerações do Povo de Deus, assinaladas pelo sinal da Cruz e da Ressurreição e "marcadas" com o sinal do mistério pascal de Cristo, revelação absoluta daquela

Misericórdia que Maria pronunciou à entrada da casa de sua parenta: "Sua Misericórdia estende-se de geração em geração".

88) Qual a ligação especial de Maria e a Misericórdia divina?

Maria é a pessoa que, de modo especial, experimentou a Misericórdia e, ao mesmo tempo, tornou possível com o sacrifício do coração a própria participação na revelação da Misericórdia divina. Esse seu sacrifício está intimamente ligado à cruz de seu Filho, aos pés da qual ela haveria de encontrar-se no calvário. Tal sacrifício de Maria é uma singular participação no revelar-se da Misericórdia, isto é, da fidelidade absoluta de Deus ao próprio amor, à Aliança que ele quis desde toda a eternidade e que realizou no tempo com o homem, com o Povo e com a humanidade. Ninguém jamais experimentou como a Mãe do Crucificado o mistério da Cruz, o impressionante encontro da justiça divina com o amor, aquele "ósculo" dado pela Misericórdia à justiça. Ninguém como Maria acolheu tão profundamente no coração tal mistério, no qual se verifica a dimensão verdadeiramente divina da Redenção, que se realizou no Calvário, mediante a morte de seu Filho e o sacrifício de seu coração de mãe, com seu definitivo "sim".

89) Por que chamamos Maria de Mãe de Misericórdia?

Maria é aquela pessoa que conhece mais a fundo o mistério da Misericórdia divina. Conhece seu preço e sabe quanto é elevado. Nesse sentido nós lhe chamamos também Mãe de Misericórdia, Nossa Senhora da Misericórdia ou Mãe da divina Misericórdia. Em cada um desses títulos há um profundo significado teológico, porque eles exprimem a particular preparação de sua alma, de toda a sua pessoa, para poder ver, primeiro, por meio dos acontecimentos de Israel e, depois, daqueles que dizem respeito a cada um dos homens e à humanidade inteira, aquela Misericórdia da qual todos se tornam participantes, segundo o eterno desígnio da Santíssima Trindade, "de geração em geração".

90) O que nos dizem esses títulos dados a Maria Santíssima?

Esses títulos falam dela sobretudo como Mãe do Crucificado e do Ressuscitado; com efeito, Ela, tendo experimentado a Misericórdia de um modo excepcional, “merece” igualmente Misericórdia durante toda a sua vida terrena e, de modo particular, aos pés da Cruz do Filho; e, depois, tais títulos dizem-nos que ela, por meio da participação escondida e, ao mesmo tempo, incomparável na missão messiânica de seu Filho, foi chamada de modo especial para tornar próximo dos homens aquele amor que o Filho tinha vindo revelar; amor que encontra a mais concreta manifestação para com os que sofrem, os pobres, os que estão privados da liberdade, os cegos, os oprimidos e os pecadores.

91) Há uma ligação entre o mistério da Encarnação e da Redenção no que concerne a Maria?

Sim, Maria Santíssima participava de tal amor; e nela e por meio dela o mesmo amor não cessa de revelar-se na história da igreja e da humanidade. Essa revelação é particularmente frutuosa, porque se funda, tratando-se da Mãe de Deus, no singular tato de seu coração materno, em sua sensibilidade particular, em sua capacidade particular de atingir todos aqueles que aceitam mais facilmente o amor misericordioso da parte de uma mãe. Esse é um dos grandes mistérios do Cristianismo, mistério muito ligado ao mistério da Encarnação.

92) Essa maternidade de Maria continua na Igreja?

A maternidade de Maria, diz o Concílio Vaticano II, perdura sem interrupção, a partir do consentimento que ela deu com sua fé, na Anunciação, e que manteve sem vacilar junto à Cruz até a consumação final de todos os eleitos. De fato, depois de elevada ao Céu, ela não abandona essa missão salutar e, por sua intercessão, continua a alcançar os dons da salvação eterna. Com seu amor de mãe cuida dos irmãos de seu Filho, que ainda peregrinam e se debatem entre perigos e angústias, até que sejam conduzidos à Pátria bem-aventurada.

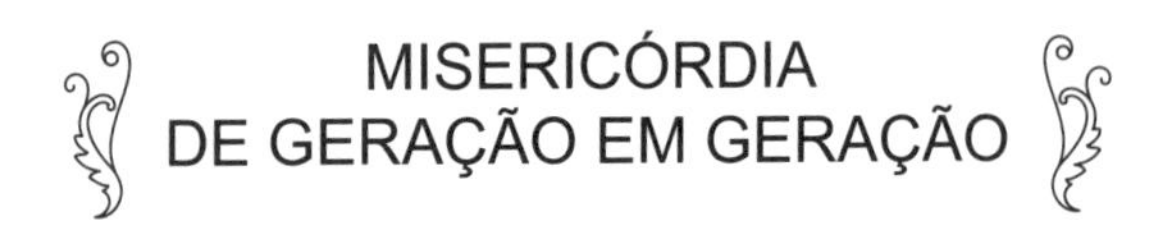

MISERICÓRDIA DE GERAÇÃO EM GERAÇÃO

93) Nós que vivemos agora podemos crer que nossa geração foi atingida pelas palavras de Maria?

Temos todo o direito de acreditar que também nossa geração foi abrangida pelas palavras da Mãe de Deus quando ela glorifi-

cava aquela Misericórdia de que participam, "de geração em geração", aqueles que se deixam guiar pelo temor de Deus. As palavras do *Magnificat* têm um conteúdo profético, que dizem respeito não só ao passado de Israel, mas também a todo o futuro do Povo de Deus. Com efeito, todos nós que vivemos agora sobre a terra somos a geração que sente profundamente a mudança que hoje verificamos na história.

94) O que tem de especial a nossa geração?

A geração atual está consciente de ser uma geração privilegiada, porque o progresso lhe proporciona imensas possibilidades inimagináveis há apenas alguns decênios. A atividade criadora do homem e seu trabalho provocaram mudanças profundas na ciência, na técnica, no plano da vida cultural e social. Caíram obstáculos e as distâncias que separavam os homens e as nações, passando por cima de divisões criadas pela geografia e fronteiras raciais e nacionais.

Os jovens de hoje sabem que o progresso da ciência é capaz de trazer não só bens materiais, mas também uma participação mais ampla no patrimônio do saber. E se é verdade que tal progresso é restrito aos países industrializados, não se pode negar que a perspectiva de se conseguir que todos os povos dele usufruam já não irá permanecer uma mera utopia.

95) Quais as sombras neste quadro atual?

Há inquietudes a exigirem que se lhes dê resposta. O quadro do mundo atual apresenta também sombras e desequilíbrios. "Na verdade, os desequilíbrios de que sofre o mundo atual estão ligados a um desequilíbrio mais profundo, que se enraíza no coração do homem. Com efeito, no íntimo do próprio homem, muitos elementos se combatem. Por um lado, ele experimenta as suas limitações; por outro, sente-se ilimitado nos seus desejos e chamado a uma vida superior. Atraído por muitas solicitações vê-se constrangido a escolher entre elas e a renunciar algumas. Mais ainda: fraco e pecador, faz muitas vezes aquilo que não quer e não realiza o que desejaria fazer. Por isso, sente em si mesmo uma divisão, da qual tantas discórdias se originam para a sociedade."

96) O homem moderno está seguro, graças ao progresso vertiginoso e dispensado da Misericórdia?

O homem contemporâneo tem medo de que, com o uso dos meios inventados por esse tipo de civilização, cada um dos indivíduos e também os ambientes, as sociedades possam vir a ser vítimas da violência de outros indivíduos e sociedades. A história de nosso século oferece exemplos disso em abundância. Apesar de todas as declarações sobre os direitos do homem, não podemos dizer que tais exemplos pertencem somente ao passado.

97) Quais os medos do homem atual?

O homem atual tem medo de vir a ser vítima de uma opressão que o prive da liberdade interior, da possibilidade de manifestar publicamente a verdade de que está convencido, da fé que professa, da faculdade de obedecer à voz da consciência que lhe indica o caminho a seguir. Os meios técnicos à disposição da civilização dos nossos dias encerram, de fato, não apenas a possibilidade de uma autodestruição mediante um conflito militar, mas também a possibilidade de uma sujeição pacífica dos indivíduos, dos âmbitos de vida, de sociedades e nações que, seja por que motivo for, se apresentem incômodos para aqueles que dispõem dos relativos meios e estão prontos para servir-se deles sem escrúpulos.

98) E o que ainda ameaça o homem?

Além da ameaça biológica, a ameaça que destrói aquilo que é essencial ao homem, ou seja, aquilo que está intimamente relacionado com sua dignidade de pessoa, com seu direito à verdade e à liberdade.

99) E quanto à injustiça social?

Não faltam crianças que morrem de fome sob o olhar de suas mães. Não faltam, em várias partes do mundo, áreas inteiras de miséria, de carência e subdesenvolvimento. Esse fato é universalmente conhecido. O estado de desigualdade entre os povos não só perdura, mas até aumenta. Sucede ainda nos nossos dias que, ao lado daqueles que são abastados, há outros que vivem na indigência, padecem a miséria e, muitas vezes, até morrem de fome. O número destes últimos atinge dezenas de milhões. É por isso que a inquietude moral está destinada a tornar-se ainda mais profunda. Evidentemente, na base da economia contemporânea e da civilização materialista, há uma falha fundamental, ou melhor, um conjunto de falhas, um mecanismo defeituoso que não permite à família humana sair de situações tão injustas.

100) O que nos diz a Igreja sobre isso?

Como justamente concluiu em sua análise o Concílio Vaticano II, essa inquietude diz respeito aos problemas fundamentais de toda a existência humana. Essa inquietude está ligada ao próprio sentido da existência do homem no mundo, e é mesmo inquietude quanto ao futuro de toda a humanidade; ela exige soluções decisivas que hoje parecem impor-se ao gênero humano.

101) Será suficiente a justiça?

Não é difícil verificar que no mundo de hoje se despertou, em grande escala, o sentido da justiça; e sem dúvida que esse leva a ver mais em evidência tudo o que se opõe à justiça, tanto nas relações entre os homens ou classes, como nas relações entre povos. Aí está a corrente profunda, em cuja base a consciência humana contemporânea colocou a justiça, atesta o caráter moral das tensões e das lutas que avassalam o mundo.

102) Como tem agido a Igreja nessa matéria?

A Igreja compartilha com os homens de nosso tempo esse profundo desejo de uma vida justa sob todos os aspetos. Isso é bem confirmado pelo desenvolvimento alcançado no último século pela doutrina social católica. Na mesma linha desse ensino se situam tanto a educação e a formação das consciências humanas no espírito da justiça, como as iniciativas que se vão desenvolvendo, especialmente no campo do apostolado dos leigos.

103) Que deformações pode haver na ânsia de praticar a justiça?

A experiência demonstra que predominam certas forças negativas, como o rancor, o ódio e até a crueldade. Então, a ânsia por aniquilar o inimigo, por limitar sua liberdade ou mesmo por impor-lhe uma dependência total, torna-se o motivo fundamental da ação, e isso contrasta com a essência da justiça que, por sua natureza, tende a estabelecer a igualdade e o equilíbrio entre as partes em conflito. Essa espécie de abuso da ideia de justiça demonstra quanto a ação humana pode afastar-se da própria justiça, embora seja empreendida em seu nome. Não sem razão, Cristo reprovava em seus ouvintes a disposição que se manifestava nestas palavras: "Olho por olho, dente por dente". É obvio que, em nome de uma pretensa justiça, muitas vezes se aniquila o próximo, mata-se, priva-se de liberdade, priva-se dos direitos humanos mais elementares. A experiência demonstra que a justiça, por si só, não é suficiente; e mais, pode levar ao aniquilamento de si mesma, se não se permitir aquela força mais profunda que é o amor. Foi precisamente a experiência da história que, entre outras coisas, levou a formular o dito: A maior justiça, a maior injustiça. Essa afirmação não tira o valor da justiça, mas indica apenas a necessidade de recorrer a forças bem mais profundas do espírito, que condicionam a própria ordem da justiça.

104) Com que se preocupa a Igreja?

Há que se preocupar ainda com o declínio de muitos valores fundamentais que constituem um bem incontestável, não só da moral cristã mas também da moral humana e da cultura moral, como o respeito pela vida humana desde o momento da concepção, o respeito pelo matrimônio com sua unidade indissolúvel e o respeito pela estabilidade da família. Também há falta de sentido de responsabilidade pela palavra. Enfim, é a dessacralização que se transforma muitas vezes em "desumanização". O homem e a sociedade, para os quais nada é "sagrado", decaem moralmente.

A MISERICÓRDIA DE DEUS NA MISSÃO DA IGREJA

105) Qual a necessidade de a Igreja do nosso tempo dar testemunho da Misericórdia?

É preciso que a Igreja do nosso tempo tome uma consciência mais profunda da necessidade de dar testemunho da Misericórdia de Deus em toda a sua missão, em continuidade com a tradição da Antiga e Nova Aliança e no seguimento de Cristo e dos Apóstolos. A Igreja deve dar testemunho da Misericórdia de Deus revelada em Cristo, ao longo de toda a sua missão de Messias, professando-a em primeiro lugar como verdade salvífica da fé e necessária para uma vida coerente com a fé; depois, procurando introduzi-la e encarná-la na vida tanto dos seus fiéis, como na de todos os homens de boa vontade. Enfim, professando a Misericórdia e permanecendo-lhe fiel, a Igreja tem o direito e o dever de apelar para a Misericórdia de Deus, implorando-a diante de todos os fenômenos do mal físico ou moral, diante de todas as ameaças que tornam carregado o horizonte da vida da humanidade atual.

106) Como a Igreja professa a Misericórdia de Deus?

A Igreja professa a Misericórdia de Deus, a Igreja vive dela em sua vasta experiência de fé e também em seu ensino, concentrando-se em Cristo, em sua vida, em seu evangelho, em sua Cruz e Ressurreição, enfim, em todo o seu mistério. A Igreja parece professar de modo particular a Misericórdia de Deus e venerá-la voltando-se para o Coração de Cristo; no mistério de seu Coração nos permite deter-nos nesse ponto da revelação do amor misericordioso do Pai que constitui, em certo sentido, o núcleo central da missão messiânica do Filho do Homem.

107) Qual o atributo mais admirável de Deus?

A Igreja vive uma vida autêntica quando professa a Misericórdia – o atributo mais admirável do Criador e Redentor – e quando aproxima os homens das fontes da Misericórdia do Salvador, sendo ela depositária e dispensadora. Nesse contexto há um grande significado na meditação da Palavra de Deus, na participação responsável e consciente da Eucaristia e da Confissão. A Eucaristia aproxima-nos daquele amor que é mais forte do que a morte. A própria ação eucarística atesta aquele inexaurível amor, em virtude do qual ele deseja sempre unir-se e como que se tornar uma só coisa conosco, vindo ao encontro de todos os corações humanos. É o sacramento da Penitência que aplana o caminho a cada um dos homens, mesmo quando estão sobrecarregados com culpas graves. Nesse sacramento todos os homens podem experimentar de modo singular a Misericórdia, isto é, aquele amor que é mais forte do que o pecado.

108) A Misericórdia de Deus traz conversão?

O conhecimento do Deus da Misericórdia, Deus de amor benigno, é a fonte constante de conversão, não somente como ato passageiro interior, mas também como disposição permanente, como estado de espírito. Aqueles que chegam ao conhecimento de Deus assim, aqueles que o veem assim não podem viver de outro modo que não seja convertendo-se a ele continuamente. Passam a viver em estado de conversão; e é esse estado que constitui a característica mais profunda da peregrinação de todo homem sobre a terra, em estado de peregrino. A Igreja professa a Misericórdia de Deus, revelada em Cristo crucificado e ressuscitado, não somente com palavras de seu ensino, mas com o pulsar da vida de todo o Povo de Deus. Assim a Igreja cumpre sua missão própria como Povo de Deus, que participa da missão messiânica do próprio Cristo, e, em certo sentido, continua-a.

109) Como pode a Igreja realizar essa missão?

A Igreja está consciente de que só apoiada na Misericórdia de Deus poderá realizar as tarefas que derivam da doutrina do Concílio Vaticano II e, em primeiro lugar, a tarefa ecumênica que tende a unir todos os que creem em Cristo. Aplicando esforços nesse sentido, a Igreja confessa com humildade que somente aquele amor, que é mais potente do que a fraqueza das divisões humanas, pode realizar definitivamente aquela unidade que Cristo pedia ao Pai e que o Espírito Santo não cessa de pedir para nós "com gemidos inexprimíveis".

A IGREJA PROCURA PÔR EM PRÁTICA A MISERICÓRDIA

110) Como o homem alcança a Misericórdia?

Jesus Cristo ensinou que o homem não só recebe a Misericórdia mas é também chamado a "ter Misericórdia" para com os demais. "Bem-aventurados os misericordiosos, porque alcançarão Misericórdia." A Igreja vê nessas palavras um apelo à ação e esforça-se por praticar a Misericórdia. O homem alcança o amor misericordioso de Deus, sua Misericórdia, à medida que ele próprio se transforma interiormente, segundo o espírito de tal amor para com o próximo.

111) Aquele que exerce a Misericórdia é somente alguém que beneficia o próximo?

Esse processo não consiste numa transformação espiritual realizada de uma vez para sempre; mas é todo um estilo de vida, uma característica essencial da vocação cristã. Ele consiste, pois, na descoberta constante e na prática perseverante do amor, como força que ao mesmo tempo unifica e eleva. Trata-se de um amor misericordioso que, por sua essência, é um amor criador. O amor misericordioso, nas relações recíprocas entre os homens, não é jamais um ato unilateral. Ainda nos casos em que tudo pareceria indicar que apenas uma parte oferece e dá, e a outra não faz mais do que aceitar e receber (por exemplo no caso do médico que cura, do mestre que ensina, dos pais que mantêm e educam os filhos, do benfeitor que socorre os necessitados), de fato, também aquele que dá é sempre beneficiado. De qualquer maneira, também ele pode facilmente vir a encontrar-se na posição de quem recebe: alguém que obtém um benefício, que experimenta o amor misericordioso, que vem a ser objeto de Misericórdia.

112) Como devemos praticar a Misericórdia?

Baseando-nos no modelo de Cristo crucificado, podemos, com toda a humildade, manifestar Misericórdia para com os outros, sabendo que o mesmo Cristo a acolhe como tendo sido usada para com ele próprio. Atendo-nos a esse modelo, devemos também purificar todas as nossas ações e intenções, para que a Misericórdia seja entendida e praticada de um modo unilateral, como um bem feito aos outros. Com efeito, só com esta condição nosso agir será realmente um ato de amor misericordioso: quando ao praticar a Misericórdia estivermos profundamente convencidos de que ao mesmo tempo nós a estamos a receber da parte daqueles que a recebem de nós. Se faltar esta bilateralidade e reciprocidade, então os nossos atos não são ainda autênticos atos de Misericórdia; não se realizou ainda plenamente em nós a conversão, cujo caminho nos foi ensinado por Cristo com as palavras e com o exemplo, até a Cruz; não participamos ainda completamente da fonte magnífica do amor misericordioso que nos foi revelado por ele.

113) Qual o vínculo entre Misericórdia e justiça?

O caminho que Cristo nos indicou no Sermão da Montanha, pela bem-aventurança dos misericordiosos, é pois muito mais rico do que aquilo que, por vezes, podemos advertir nos juízos humanos correntes sobre o tema da Misericórdia. Estes juízos comumente apresentam a Misericórdia como um ato ou processo unilateral, que pressupõe e mantém as distâncias entre aquele que pratica a Misericórdia e aquele que dela é objeto, entre aquele que faz o bem e o que o recebe. Daqui nasce a pretensão de libertar da Misericórdia as relações humanas e sociais e de baseá-las somente na justiça. Tais juízos sobre a Misericórdia não têm em conta aquele vínculo fundamental que existe entre a Misericórdia e a justiça, de que fala toda a tradição bíblica e, sobretudo, a atividade messiânica de Jesus Cristo. A autêntica Misericórdia é, por assim dizer, a fonte mais profunda da justiça. Se esta é, em si mesma, apta para "arbitrar" entre os homens a repartição entre eles dos bens objetivos de maneira justa, o amor, por sua vez, e somente o amor (e, portanto, a Misericórdia, amor benigno), é capaz de restituir o homem a si próprio.

114) Há igualdade na Misericórdia para o que a exerce e o que a recebe?

A Misericórdia autenticamente cristã é ainda, em certo sentido, a mais perfeita encarnação da "igualdade" entre os homens e, por conseguinte, também a encarnação mais perfeita da justiça. Mas, enquanto a igualdade introduzida mediante a justiça se limita ao campo dos bens objetivos e extrínsecos, o amor e a Misericórdia fazem com que os homens se encontrem uns com os outros naquele valor que é o mesmo homem com a dignidade que lhe é própria. Ao mesmo tempo, a "igualdade" dos homens mediante o amor paciente e benigno não elimina as diferenças. Aquele que dá torna-se mais generoso, quando se sente ao mesmo tempo recompensado por aquele que acolhe seu dom. E, vice-versa, aquele que sabe receber o dom com a consciência de que também ele faz o bem, ao aceitá-la, está por seu lado a servir a grande causa da dignidade da pessoa; e isso contribui para unir os homens entre si, de um modo mais profundo.

115) O Amor-Misericórdia é indispensável na educação, na Pastoral, no casamento?

A Misericórdia torna-se, assim, um elemento indispensável para dar forma às relações mútuas entre os homens, num espírito que é humano e pela fraternidade recíproca. É impossível conseguir que se estabeleça esse vínculo entre os homens se se pretende regular as suas relações unicamente com a medida da justiça. Esta, em toda a gama das relações entre os homens, deve sofrer por assim dizer uma "correção" notável por aquele amor que, como proclama São Paulo, "é paciente" e "benigno" ou por outras palavras que comporta as características do amor misericordioso, tão essenciais para o evangelho e para o Cristianismo. Tenhamos presente, além disto, que o amor misericordioso implica também aquela cordial compaixão e sensibilidade, que tão eloquentemente nos fala a parábola do filho pródigo. O amor misericordioso, portanto, é sobremaneira indispensável entre aqueles que são mais próximos: os cônjuges, os pais e os filhos e os amigos; ele é de igual modo indispensável na educação e na pastoral.

116) O campo do amor misericordioso só diz respeito ao que dissemos acima?

O campo de ação do amor misericordioso, porém, não se confina só a isto. Se o Santo Padre Paulo VI indicou por mais de uma vez que a "civilização do amor" é o fim para o qual devem tender todos os esforços no campo social e cultural, como também no campo econômico e político, é conveniente acrescentar que esse fim nunca será alcançado se nas nossas concepções e nas nossas atuações, no que respeita às amplas esferas da convivência humana, detivermo-nos no critério do "olho por olho e dente por dente" e não tendermos ao contrário para transformá-lo essencialmente completando-o com um outro espírito. O mundo dos homens só se poderá tornar mais humano se introduzirmos no quadro das relações interpessoais e sociais, juntamente com a justiça, aquele "amor misericordioso" que constitui a mensagem messiânica do evangelho.

117) Qual, pois, o papel do perdão-Misericórdia nas relações humanas?

O mundo dos homens poderá tornar-se "cada vez mais humano" somente quando introduzirmos em todas as relações recíprocas, que plasmam sua fisionomia moral, o momento do perdão tão essencial para o evangelho. O perdão atesta que no mundo está presente o amor mais potente que o pecado. O perdão, além disso, é a condição fundamental da reconciliação não só nas relações de Deus com o homem, mas também nas relações dos homens entre si. Um mundo do qual se eliminasse o perdão seria apenas um mundo de justiça fria e irrespeitosa, em nome da qual cada um reivindicaria os próprios direitos em relação aos demais. Desse modo, as várias espécies de egoísmo, latentes no homem, poderiam transformar a vida e a convivência humana num sistema de opressão dos mais fracos pelos mais fortes, ou até numa arena de luta permanente de uns contra os outros.

118) Perdão e Misericórdia estão sempre unidos?

A Igreja deve considerar como um dos seus principais deveres proclamar e introduzir na vida o mistério da Misericórdia, revelado em seu grau mais elevado em Jesus Cristo. Esse mistério, não só para a própria Igreja como comunidade dos fiéis, mas também, em certo sentido, para todos os homens, é fonte de uma vida diferente daquela que o homem, exposto às forças prepotentes da concupiscência que nele operam, está em condições de construir. É em nome desse mistério, precisamente, que Cristo nos ensina a perdoar sempre. Quantas vezes repetimos as palavras da oração que ele próprio nos ensinou, pedindo: "Perdoai as nossas ofensas, como nós perdoamos a quem nos tem ofendido", isto é, aos que são culpados de alguma coisa em relação a nós.

119) É possível um plano de direitos humanos, excluindo a Misericórdia?

É realmente difícil exprimir o valor profundo da disposição que as palavras do Pai-nosso designam e insistem. Quantas coisas não dizem essas palavras a cada homem acerca de seu semelhante e também quanto a si próprio! A consciência de sermos devedores uns para com os outros anda a par com o apelo à solidariedade fraterna, que São Paulo exprimiu em seu convite a suportar-nos "uns aos outros com caridade". Que lição de humildade está encerrada aqui, em relação ao homem, em relação ao próximo e, ao mesmo tempo, a nós próprios! Que escola de boa vontade para a convivência de cada dia, nas várias condições de nossa existência! Se não déssemos atenção a esta norma, o que restaria de qualquer programa "humanista" de vida e de educação?

120) A Misericórdia significa indulgência para com o mal?

Cristo põe em realce com tanta insistência a necessidade de perdoar aos outros, que a Pedro, quando esse lhe perguntou quantas vezes devia perdoar ao próximo, indicou o número simbólico de "setenta vezes sete", querendo indicar com isso que deveria saber perdoar a todos e a cada um, todas as vezes. É óbvio que a exigência de ser tão generoso em perdoar não anula as exigências objetivas da justiça. A justiça bem entendida constitui, por assim dizer, a finalidade do perdão. Em nenhuma passagem do evangelho o perdão, nem mesmo a Misericórdia como sua fonte, significa indulgência para com o mal, o escândalo, a injúria causada ou o ultraje feito. Em todos esses casos, a reparação do mal e do escândalo, o ressarcimento do prejuízo causado e a satisfação pela ofensa feita são a condição do perdão.

121) A estrutura fundamental da justiça penetra sempre no campo da Misericórdia?

A estrutura fundamental da justiça penetra sempre no campo da Misericórdia. Esta, no entanto, tem o condão de conferir à justiça um conteúdo novo, que se exprime no modo mais simples e pleno do perdão. Efetivamente, o perdão manifesta que, além do processo de "compensação" e de "trégua" que é específico da justiça, é necessário o amor para que o homem se afirme como tal. O cumprimento das condições da justiça é indispensável, sobretudo, para que tal amor possa revelar a própria fisionomia. Ao analisarmos a parábola do filho pródigo, dirigíamos a atenção para o fato de que aquele que perdoa e o que é perdoado se encontram num ponto essencial, que é a dignidade: isto é, o valor essencial do homem, que não se pode perder e cuja afirmação, ou cujo reencontro, é fonte da maior alegria.

122) Qual o dever da Igreja no que concerne à Misericórdia?

A Igreja considera justamente ser seu dever peculiar e finalidade de sua missão o guardar a autenticidade do perdão, tanto na vida e no comportamento concreto, como na educação e na pastoral. Ela protege essa autenticidade como se estivesse guardando sua fonte, isto é, o mistério da Misericórdia do próprio Deus, revelado em Jesus Cristo.

123) A Igreja busca algum interesse material ao espalhar seus santos ensinamentos?

Esse "beber nas fontes do Salvador" não se pode realizar de outro modo senão com o espírito de pobreza a que o Senhor nos chamou com as palavras e com o exemplo. "Recebestes de graça, dai de graça." Assim, em todos os campos da vida e do ministério da Igreja, mediante a pobreza evangélica dos ministros e dispensadores e de todo o povo, que dão testemunho "das maravilhas" de seu Senhor, manifesta-se ainda melhor aquele Deus, que é "rico em Misericórdia".

A IGREJA FAZ APELO À MISERICÓRDIA DIVINA

124) A Igreja sente em nossos tempos uma necessidade especial de proclamar e exercer a Misericórdia?

Quanto mais a consciência humana, sucumbindo à secularização, perder o sentido do significado próprio da palavra "Misericórdia" e quanto mais, afastando-se de Deus, afastar-se do mistério da Misericórdia, tanto mais a Igreja tem o direito e o dever de fazer apelo ao Deus da Misericórdia "com grande clamor". Esse "grande clamor" tem de ser algo característico dos nossos tempos, um clamor elevado a Deus para implorar sua Misericórdia. A mesma Igreja professa e proclama que a manifestação clara de tal Misericórdia se verificou em Jesus crucificado e ressuscitado, isto é, no Mistério Pascal. É esse Mistério que contém em si a mais completa revelação da Misericórdia, isto é, daquele amor que é mais forte do que a morte, mais potente que o pecado e que todo o mal, do amor que ergue o homem nas suas quedas, mesmo abissais, e o liberta das mais graves ameaças.

125) O homem moderno tem dificuldade em falar de Misericórdia?

Se algumas vezes o homem não tem a coragem de pronunciar a palavra "Misericórdia", ou não encontra o equivalente dela em sua consciência despojada de conteúdo religioso, ainda mais necessário é que a Igreja pronuncie essa palavra, não só em seu nome próprio, mas também em nome de todos os homens contemporâneos.

126) O que disse o Papa São João Paulo II sobre a Misericórdia no final de sua encíclica *Dives in Misericordia*?

Como os Profetas, apelamos para aquele amor que tem características maternas e, à

semelhança da mãe, vai acompanhando cada um dos seus filhos, cada ovelha desgarrada, ainda que fossem milhões os extraviamentos, ainda que no mundo a iniquidade prevalecesse sobre a honestidade e ainda que a humanidade contemporânea merecesse pelos seus pecados um novo "dilúvio", como outrora sucedeu com a geração de Noé. Recorramos, pois, a tal amor, que permanece amor paterno, como nos foi revelado por Cristo em sua missão messiânica, e que atingiu o ponto culminante em sua Cruz, em sua morte e ressurreição! Recorramos a Deus por meio de Cristo, lembrando as palavras do *Magnificat* de Maria, que proclama a Misericórdia divina para a geração contemporânea! A Igreja que, seguindo o exemplo de Maria, procura ser também em Deus mãe dos homens, há de exprimir nesta oração sua solicitude maternal e seu amor confiante, de onde nasce precisamente a mais vívida necessidade da oração.

127) O Papa São João Paulo ainda insistiu nesse ponto da Misericórdia?

Elevemos as nossas súplicas, guiados pela fé, pela esperança e pela caridade, que Cristo implantou em nossos corações. Essa atitude é, ao mesmo tempo, amor para com Deus, que o homem contemporâneo por vezes afastou muito de si, considerando-o um estranho de si mesmo e proclamando, de várias maneiras, que ele é algo "supérfluo". Tal atitude é, ainda, amor para com Deus, em relação ao qual sentimos profundamente quando o homem contemporâneo o ofende e rejeita-o; e, por isso, estamos prontos para clamar com Cristo na Cruz: "Pai, perdoa-lhes porque não sabem o que fazem". A mesma atitude é ao mesmo tempo amor para com os homens, sem exceção e sem discriminação alguma; sem diferenças de raça, de cultura, de língua, e sem distinção entre amigos e inimigos. Enfim, é um amor para com todos sem exceção, ou seja, solicitude por garantir para cada um todo o bem autêntico e afastar e conjurar todo o mal.

128) Qual a importância da Misericórdia, hoje?

A dignidade do homem obriga-me (disse São João Paulo II) a proclamar a Misericórdia, como amor misericordioso de Deus, revelado também no mistério de Cristo. Ele me impele ainda a apelar para esta Misericórdia e a implorá-la, nesta fase difícil e crítica da história da Igreja no mundo.

129) Quem foi Santa Faustina?

Helena Kowalska (mais tarde, Faustina) nasceu em 25 de agosto de 1905, em Glogowice, um pequeno povoado na diocese de Wloclawek, na Polônia. Foi batizada no dia 27 do mesmo mês. Sua família era pobre, mas profundamente religiosa. Era uma menina inteligente, dotada de uma memória privilegiada e muito dedicada aos estudos. Infelizmente, só pôde frequentar a escola básica durante três anos. Isso devido, por uma parte, às dificuldades inerentes à proximidade da primeira guerra mundial e, por outra, à necessidade de ajudar sua mãe no trabalho doméstico.

130) Quando Santa Faustina fez sua Primeira Comunhão?

Aos nove anos. Todos os domingos ia à missa. E era notável sua piedade já nesta tenra idade.

131) Quando Santa Faustina sente o chamado à Vida Religiosa?

Aos quinze anos, Helena vai para Cidade vizinha de Aleksandrow, em busca de trabalho. Ela deve ajudar os pais, ao mesmo tempo em que precisava sustentar-se. Depois de um ano, volta ao seio da família. Revela então à sua mãe: "Tenho de entrar num convento". Seus pais se opõem a seu desejo. A tristeza invade seu coração: de um lado ouve claramente o chamado de Deus e de outro é impedida de seguir esse chamado. Quando faz dezoito anos, pede outra vez permissão a seus pais para iniciar-se na vida religiosa, mas a resposta é não. Diz ela: "Aos dezoito anos fiz um ardente pedido aos meus pais que me deixassem entrar no convento; a recusa foi decisiva, voltei-me às vaidades da vida, passei a viver uma vida de vaidades, não prestando nenhuma atenção à voz da Graça, embora a minha alma não encontrasse satisfação em nada".

132) Qual o fato extraordinário que acontece em sua vida mostrando a Vontade de Deus sobre sua vocação?

"Numa ocasião eu estava com uma de minhas irmãs num baile; enquanto todos se divertiam a valer, a minha alma sentia tormentos interiores. No momento em que comecei a dançar, de repente vislumbrei, vi Jesus ao meu lado, Jesus sofredor, despido de suas vestes, todo coberto de chagas, que me disse estas palavras: Até quando te suportarei e até quando tu me enganarás? Nesse momento parou a música encantadora, não vi mais as pessoas que comigo estavam, somente Jesus e eu ali permanecíamos. Sentei-me ao lado de minha irmã, disfarçando o que se passava em minha alma, com dor de cabeça."

133) O que faz a santa após essa revelação?

"Em seguida, deixei dissimuladamente os companheiros e minha irmã e fui à catedral de S. Estanislau Kostka. Já começava a entardecer, havia poucas pessoas na catedral. Não dando atenção a minha volta, caí de bruços diante do Santíssimo Sacramento e pedi ao Senhor que me desse a conhecer o que devia fazer a seguir."

134) O que o Senhor diz a Santa Faustina?

"Então ouvi estas palavras: 'Vai imediatamente a Varsóvia e lá entrarás no con-

vento'. Terminada a oração, levantei-me, fui para casa e fiz as coisas indispensáveis. Como pude, relatei à minha irmã o que acontecera em minha alma; pedi que se despedisse por mim dos meus pais e assim, só com a roupa que tinha no corpo, sem mais nada vim para Varsóvia."

135) Como agir em Varsóvia?

"Quando desci do trem e vi que cada um se dirigia a seu destino, fiquei com medo e sem saber o que fazer. Para onde dirigir-me não tendo ninguém conhecido. E disse a Nossa Senhora: Maria, dirigi-me, guiai-me. Imediatamente ouvi em minha alma uma voz que me dizia que deixasse a cidade e fosse a uma certa aldeia, onde poderia passar a noite com segurança. Foi onde encontrei tudo como Nossa Senhora me havia dito."

136) Como a santa procura resolver seus problemas iniciais?

"No dia seguinte, bem cedinho, vim à cidade e entrei na primeira igreja que encontrei e comecei a rezar para saber qual era a vontade de Deus a seguir. As missas se sucediam. Durante uma delas ouvi estas palavras: 'Vai falar com esse padre e ele te dirá o que deves fazer em seguida'. Terminada a missa fui à sacristia e contei tudo o que tinha ocorrido e queria um conselho para saber em qual convento ingressar. No primeiro momento o padre admirou-se, mas mandou que eu tivesse muita confiança, que Deus me guiaria. Por enquanto, disse ele, vou enviar-te a uma senhora piedosa com a qual ficarás enquanto não ingressares no convento."

137) Quais são as dificuldades encontradas pela santa na procura da Congregação onde devia entrar?

"Quando fui ter com essa senhora, ela me recebeu muito afavelmente. Nesse tempo eu procurava um convento, mas a cada porta que batia era recusada. A dor apertou-me o coração e eu disse a Nosso Senhor: 'Ajudai-me, não me deixeis sozinha'. Até que finalmente bati à porta de nosso convento. Quando veio ter comigo a madre superiora, a atual Madre Geral Michaela; depois de uma breve conversação, disse-me que eu falasse com o Senhor da casa e perguntasse se ele me aceitaria. Compreendi logo que devia perguntar a Nosso Senhor. Fui à capela com grande alegria e perguntei a Jesus: 'Senhor desta casa, vós me aceitais? Assim mandou que eu perguntasse uma destas irmãs'. E logo ouvi esta voz: 'Eu te aceito, tu estás em meu coração'. Quando voltei da capela, a madre imediatamente me perguntou: 'E então, o Senhor te aceitou?' Respondi que sim. 'Se o Senhor te aceitou, eu também te aceito'."

138) Qual era o convento?

O convento pertencia à Congregação da Mãe de Deus da Divina Misericórdia. Contudo, Helena não foi recebida imediatamente no convento. Segundo os costumes da época, para entrar no convento tinha de apresentar-se com um dote. Helena ainda trabalhou em Varsóvia um ano e conseguiu o dote.

139) Quando Helena entra no convento?

"Finalmente chegou o momento em que se abriu para mim o portão do convento. Foi no dia primeiro de agosto de 1925, à tarde, na véspera de Nossa Senhora dos Anjos. Sentia-me imensamente feliz, parecia que havia entrado na vida do paraíso."

140) Tudo é como Helena espera?

"Não, depois de três semanas percebi que havia pouco tempo para a oração e para muitas outras coisas que me falavam à alma; era preciso ingressar numa ordem mais rigorosa. Esse pensamento fixou-se profundamente em minha alma; mas não havia nisso a vontade divina. No entanto, esse pensamento ou tentação tornava-se cada vez mais forte, de maneira que um dia decidi contar tudo à madre e sair decididamente do convento. Mas Deus dirigia de tal modo as circunstâncias que não conseguia falar com a madre superiora. Tomei a decisão de falar com a madre e minha decisão seria tomada. Entrei na minha cela cheia de sofrimento e insatisfação, não sabia o que fazer. Lancei-me no chão e comecei a rezar ardentemente para conhecer a vontade de Deus. Depois de um momento, a minha cela clareou-se e vi o rosto de Nosso Senhor, muito triste. Chagas vivas em toda a face e grandes lágrimas caíam na colcha da cama. Sem saber o que significava tudo isso, perguntei a Jesus: 'Jesus, quem vos infligiu tanta dor?' 'Tu me afligirás tamanha dor se saíres desta ordem! Chamei-te para cá e não a outro lugar, e preparei muitas graças para ti'. Pedi perdão a Nosso Senhor e imediatamente mudei a decisão tomada."

141) Quando Santa Faustina faz os primeiros votos religiosos?

Em 30 de abril de 1928, Ir. Faustina faz os votos temporários. Sua profissão: religiosa.

142) Quando fez a Profissão Perpétua?

Em 1º de maio de 1933. Escreveu em seu Diário: "Nos momentos de luta e de sofrimentos, de trevas e tempestades, de saudade e tristeza, nos momentos difíceis de provações, nos momentos em que não serei compreendida por nenhuma criatura e até condenada e desprezada por todos, lembrar-me-ei do dia dos votos perpétuos, deste dia de inconcebível graça de Deus". A lembrança desse dia solene ajudará a Ir. Faustina durante toda a sua vida a superar as inconcebíveis provas e dificuldades encontradas no cumprimento da missão à qual foi chamada por Deus.

143) Qual a importância do encontro de Ir. Faustina com o Pe. Miguel Sopocko?

"E como era continuamente transferida, não tinha um confessor permanente, além disso, sentia grande dificuldade para contar essas coisas (visões). 'Rezava ardentemente para que Deus me desse esta grande graça, isto é, um diretor espiritual. Mas alcancei essa graça só depois dos votos perpétuos, quando cheguei a Vilna. É o Pe. Miguel Sopocko (beatificado pelo Papa Bento XVI). Concede-me Deus conhecê-lo primeiro interiormente, antes de chegar a Vilna.'"

144) Quando morreu Santa Faustina?

No instante que recebia o sacramento da Unção dos Enfermos, recitou com o sacerdote as orações pelos moribundos. No outono, em 5 de outubro de 1938, com a vista cravada no crucifixo, tranquila, sem queixa alguma, entregou sua bela alma nas mãos da Divina Misericórdia. Tinha 33 anos, dos quais treze dedicados ao fiel serviço de Deus, na congregação religiosa. Foi sepultada no cemitério do convento num entardecer iluminado pelo sol de outono. Hoje os seus restos descansam na capela do convento, entrando no santuário, à direita. Peregrinos de todas as partes da Polônia e de muitos países do mundo visitam o túmulo de Santa Faustina, solicitando sua intervenção e favores à Divina Misericórdia sob a invocação: "Jesus, eu confio em vós".[1]

A IMAGEM DA DIVINA MISERICÓRDIA

145) Qual sua origem?

Sua origem é o expresso desejo do Senhor. Em 22 de fevereiro de 1931, Jesus aparece a Ir. Faustina e pede-lhe que pinte a imagem de acordo com a figura em que Cristo apresentou-se. Escreve Ir. Faustina: "22 de fevereiro de 1931. À noite, quando me encontrava em minha cela, vi Nosso Senhor vestido de branco. Uma mão erguida para a bênção e a outra tocava-lhe a túnica, sobre o pcito. Da túnica entreaberta sobre o peito saíam dois grandes raios, um vermelho e o outro branco. Em silêncio eu contemplava o Senhor; a minha alma estava cheia de temor, mas também de alegria".

[1] Não vou falar muito sobre a vida de Santa Faustina, mas dedicar mais esclarecimentos à sua santa missão, extremamente importante para os nossos dias – a Divina Misericórdia.

146) O que Jesus diz à Ir. Faustina?

"Pinta uma imagem de acordo com o desenho que estás vendo, com a legenda: 'Jesus, eu confio em vós'. Desejo que essa imagem seja venerada primeiramente na capela das irmãs e depois no mundo inteiro."

147) Qual o significado dos dois raios?

Jesus explica o significado: "Esses dois raios significam o sangue e a água: o raio branco significa a água, que justifica as almas; o raio vermelho significa o sangue, que é a vida das almas. Ambos os raios saíram das entranhas da minha Misericórdia quando, na cruz, meu coração agonizante foi aberto pela lança. Esses raios defendem as almas da ira de meu Pai. Feliz quem viver à sua sombra, porque não será atingido pelo braço da justiça de Deus. Desejo que o primeiro domingo depois da Páscoa seja a festa da Misericórdia".

148) Jesus dá atenção à fórmula escrita na imagem?

Ele atribui uma grande importância à inscrição na base da imagem: "Jesus, eu confio em vós".

149) Como é para Ir. Faustina a realização de tal tarefa?

A tarefa que Jesus encomenda à Ir. Faustina não é fácil. Irmã Faustina não tem preparação artística para realizar a obra. Só em janeiro de 1934, três anos depois de receber a ordem de pintar a imagem, Ir. Faustina consegue cumprir o desejo de Nosso Senhor. Quando se encontra em Vilna, graças à compreensão de sua superiora e com a eficaz ajuda de seu confessor, Pe. Miguel Sopocko, entra em contato com um artista e pintor, Edmundo Kazimierowski, que aceita realizar a obra conforme as instruções de Ir. Faustina.

150) Irmã Faustina queria que a imagem fosse mais bela, como tinha visto Jesus. Em sua tristeza, Jesus a consola como?

Diz-lhe: "O valor dessa imagem não está na beleza da tinta nem na habilidade do pintor, mas na minha Graça".

151) Que diz Jesus sobre essa imagem?

"Prometo que a alma que venerar esta imagem não perecerá. Prometo também, já aqui na terra, a vitória sobre os inimigos e, especialmente, na hora da morte. Eu próprio a defenderei como minha glória."

152) Que mais diz Jesus sobre essa imagem?

"Ofereço aos homens um recipiente com o qual devem ir buscar graças na fonte da Misericórdia. O recipiente é a própria imagem com a inscrição: 'Jesus, eu confio em vós'."

O TERÇO DA MISERICÓRDIA

153) Qual o modo de rezar o terço da Misericórdia?

– Antes de começar, reza-se o Pai-nosso, a Ave-Maria e o Credo.

– Nas contas do Pai-nosso, reza-se: Eterno Pai, eu vos ofereço o corpo e sangue, alma e divindade de vosso diletíssimo Filho, Nosso Senhor Jesus Cristo, em expiação dos nossos pecados e dos do mundo inteiro.

– Nas contas da Ave-Maria, reza-se: Por sua dolorosa Paixão, tende Misericórdia de nós e do mundo inteiro.

– No fim, reza-se três vezes: Deus santo, Deus forte, Deus imortal, tende piedade de nós e do mundo inteiro.

Foi o próprio Jesus que ensinou esse terço a Santa Faustina.

154) O que Jesus diz a Santa Faustina sobre esse terço?

"As almas que rezarem este terço serão envolvidas pela minha Misericórdia em sua vida e, especialmente, na hora da morte."

155) Que ainda diz Jesus sobre o Terço da Misericórdia?

"Minha filha, estimula as almas a rezarem esse terço que te dei. Pela recitação desse terço, agrada-me dar tudo que me pedem. Quando o recitarem, os pecadores empedernidos, encherei suas almas de paz, e a hora de sua morte será feliz. Escreve isso para as almas atribuladas: desvenda diante dos olhos de sua alma todo o abismo da miséria em que mergulhou, que não desespere, mas que se lance com confiança nos braços da minha Misericórdia, como uma criança nos braços da estimada mãe. Essas almas têm primazia à minha Misericórdia. Dize que nenhuma que tenha recorrido a minha Misericórdia se decepcionou nem ficou envergonhada. Tenho predileção especial pela alma que tem confiança na minha bondade. Escreve que, quando recitarem esse terço junto aos agonizantes, eu me colocarei entre o pai e a alma agonizante não como justo juiz, mas como salvador misericordioso" (Diário, n. 1541).

156) Ainda sobre o terço da Misericórdia.

"Defendo toda alma que recitar esse terço na hora da morte como a minha glória, ou quando outros o recitarem junto a um agonizante; eles conseguem a mesma indulgência. Quando recitam esse terço junto a um agonizante, aplaca-se a ira divina, uma inconcebível Misericórdia envolve a alma e abrem-se as entranhas da minha Misericórdia, pela dolorosa paixão de meu Filho. Oh! Se todos conhecessem como é grande a Misericórdia do Senhor; e como nós todos precisamos dessa Misericórdia, especialmente nessa hora decisiva."

157) Que diz Santa Faustina a respeito de um pecador pelo qual rezou esse terço?

"Quando entrei por um momento na capela, disse-me o Senhor: 'Minha filha, ajuda-me a salvar um pecador agonizante; reza por ele esse terço, vi esse agonizante em terríveis tormentos e lutas'. Defendia-o o Anjo da Guarda, mas estava como que impotente diante da enormidade da miséria dessa alma. Toda uma multidão de demônios estava esperando por essa alma. No entanto, durante a recitação do terço, vi Jesus da forma como está pintado nessa imagem. Esses raios que saíam do Coração de Jesus envolveram o enfermo, e as forças do mal fugiram em pânico. O enfermo exalou tranquilamente o último suspiro. Quando voltei a mim, compreendi como esse terço é importante para os agonizantes: ele aplaca a ira de Deus."

158) Que devemos fazer para a maior eficácia desse terço?

Nossa recitação do terço deve ser acompanhada, na medida de nossas possibilidades, de algum ato de Misericórdia para com nosso próximo, seja na forma de palavra, de serviço espiritual ou material.

A FESTA DA DIVINA MISERICÓRDIA

159) Quando se celebra a festa da Divina Misericórdia?

Celebra-se no primeiro domingo depois da Páscoa.

160) Que diz Jesus a Santa Faustina sobre esta festa?

Diz a santa: “Em determinado momento, ouvi estas palavras: ‘Minha filha, fala a todo o mundo da minha inconcebível Misericórdia. Desejo que a festa da Misericórdia seja um refúgio e abrigo para todas as almas, especialmente para os pecadores. Nesse dia estarão abertas as entranhas da minha Misericórdia, derramando todo um mar de graças nas almas que se aproximarem da fonte da minha Misericórdia. A alma que se confessar e comungar, alcançará o perdão das culpas e castigos; nestes dia estarão abertas todas as comportas divinas, pelas quais fluem as graças. Que nenhuma alma tenha medo de se aproximar de mim, ainda que seus pecados sejam como o escarlate. A minha Misericórdia é tão grande que por toda a eternidade não a aprofundará nenhuma mente, nem humana, nem angélica. Tudo que existe saiu das entranhas da minha Misericórdia. Toda alma refletirá em relação a mim por toda a eternidade todo o meu amor e a minha Misericórdia. A festa da Misericórdia saiu das minhas entranhas.

Desejo que seja celebrada solenemente no primeiro domingo depois da Páscoa. A humanidade não terá paz enquanto não se voltar à fonte da minha Misericórdia''' (n. 699).

161) Que diz o diário de Santa Faustina no n. 300?

"Oh! Como me fere a incredulidade da alma. Essa alma confessa que sou santo e justo, e não crê que sou a Misericórdia, não acredita em minha bondade. Também os demônios respeitam a minha justiça, mas não creem em minha bondade. Alegra-se o meu Coração com esse título da Misericórdia. Diga que a Misericórdia é o maior atributo de Deus. Todas as obras das minhas mãos são coroadas pela Misericórdia."

162) As graças concedidas nessa festa são somente de ordem espiritual?

Não. As graças que Nosso Senhor concede nesta festa não são somente de ordem espiritual, mas também de ordem temporal. Um mar de graças inundará a humanidade.

163) Como se preparar para essa festa?

A festa deve ser precedida pela recitação da novena, para que as almas tenham tempo para compenetrar-se daquilo que a Divina Misericórdia oferece-lhes, bem como daquilo que pede delas.

164) No dia da festa da Divina Misericórdia, os sacerdotes devem falar dela?

"Nenhuma alma terá justificação enquanto não se voltar com confiança à minha Misericórdia. Por isso, o primeiro domingo depois da Páscoa deve ser a festa da Misericórdia, e os sacerdotes devem nesse dia falar às almas dessa minha grande e inescrutável Misericórdia" (n. 570).

165) Essa festa é litúrgica e obrigatória ou somente devocional?

O Papa São João Paulo II colocou esta festa no calendário oficial da Igreja Universal, que deve obrigatoriamente ser comemorada em todo o mundo.

A HORA DA DIVINA MISERICÓRDIA

166) Qual é a hora da Divina Misericórdia?

Três horas da tarde: "Jesus, dando um grande brado, disse: Pai, 'em tuas mãos entrego o meu espírito', e dizendo isto, morreu". Nesse instante, o sangue de Cristo brota da cruz, tornando-se um rio que inunda a humanidade e lava-a de seus pecados. É a hora da Misericórdia.

167) Que diz Jesus a Santa Faustina sobre essa hora?

"Às três horas da tarde implora a minha Misericórdia, especialmente para os pecado-

res, e ao menos por um breve momento, reflete sobre a minha paixão e, acima de tudo, sobre o abandono em que me encontrei no momento da agonia. É uma hora de grande Misericórdia para o mundo inteiro. Permitirei que penetres na minha tristeza mortal; nessa hora não negarei nada à alma que me pedir em nome da minha paixão" (n. 1320).

168) O que ainda Jesus fala sobre a hora da Misericórdia?

"Lembro-te, minha filha, de que todas as vezes que ouvires o relógio bater três horas da tarde, deves mergulhar toda na minha Misericórdia, adorando-a e glorificando-a. Invoca sua onipotência em favor do mundo inteiro e, especialmente, dos pobres pecadores, porque nesse momento estará largamente aberta para cada alma. Nessa hora conseguirás tudo para ti e para os outros. Nessa hora o mundo inteiro recebeu uma grande graça: a Misericórdia venceu a justiça" (n. 1572).